Meet big **V** and little **v**.

Trace each letter with your finger and say its name.

V is for

vegetables

V is also for

violet

van

volleyball

violin

Vv Story

The **v**egetables lived in a **v**ery pretty bowl.

But the bowl was **v**ery boring.
So, they got into a **v**iolet **v**an.

Then, the **v**egetables went on **v**acation. **V**room, **v**room!

They played **v**olleyball
on a beach!

They played **v**iolins in a band!

They enjoyed the ocean **v**iew!
The **v**egetables all agreed
it was a **v**ery nice **v**acation.